ἀλφαβητάριο

Ι . Κ . ΓΙΑΝΝ

ἀλφα

άριο

ΕΙΚΟΝΕΣ ΠΡΟΦΟΡΙΚΗΣ ΔΙΔΑΣΚΑΛΙΑΣ

Αφιερωμένο στην κυρα Λένη

Μέρος πρῶτο

I i

I i

15

O o

O o

α

ν ⌐

νά

Νά, νά.

λ

−λὰ λὰ λά.
λὰ λά, ὄλα.

L Λ

-Λὰ λά, ὅλα.
Λὰ λά, Λόλα.

ε⌐ **ἔλα**

—Λόλα, ἔλα Λόλα.
Νά ἔνα νινί.

—"Ελα, νινὶ └ E

—"Ελα, νινί, ἔλα.
"Ελα, νινί, νάνι.
Ι ι ι... Ο ο ο...

η

Ἔλλη

—Νά ἡ Ἔλλη.
Νινί, νά ἡ Ἔλλη.

῎Αννα

—῎Αννα, ἔλα.
῎Ελα, ῎Αννα.
῎Ελα, ῎Ελλη.

μ μῆλα

—Έλλη, νά ἕνα μῆλο.
Λόλα, νά ἕνα ἄλλο.
Άννα, νά μῆλα.

Μίμη

—Μῆλα, Μίμη.
Ἔλα, Μίμη, ἔλα.
Ἔλα, μῆλα μέλι.

Ππ⌐   Παπὶ

—Πά, πά. Πί, πί.
Παπί, Μίμη.
Παπί, Άννα.
Νά ἔνα παπί.

Τόπι　　　T τ

—Τόπι, τόπι, Μίμη.
Τόπι, τόπι, Έλλη.

—Πέτα, Άννα, τὸ τόπι.
Άννα, πέτα τὸ τόπι.

Κ κ Κότα

Κά κά κά ἡ κότα.
—Νά, ἡ κότα, Μίμη.
Νά, ἡ καλὴ κότα.
"Εκανε ἕνα κοκό.
Τὸ ἔκανε, νά το.

γάλα γ

—Νά τὸ γάλα, Μίμη.
"Αννα, "Ελλη, ἐλᾶτε.
Καλὸ γάλα, ἐλᾶτε.

—Πᾶμε, λένε ὅλα.

ιὰ,

γιαγιά

Νιάο νιάο ἡ γάτα.
Νιάο ἔκανε ἡ γάτα.

—Λίγο γάλα, γιαγιά.
Κι ἐμένα γάλα.

Γάτα

—Νιάο νιάο, ἡ γάτα.
—Πί πί, τὸ παπί.

Τότε ἡ γιαγιὰ ἔλεγε:
—Γάτα, μὴ τὸ παπί.
Γάτα, ἀγάπα τὸ παπί.

Χ χ.. ἡ χήνα

—Χ χ.. ἡ χήνα.

Χ χ.. τὰ χηνάκια.

—Πά, πά.. ἡ πάπια.

Πί, πί.. τὰ παπάκια.

Χ χ

—Γάτα, μὴ τὰ χηνάκια,
ἔλεγε ἡ Ἄννα.

Ρ ρ.. τὸ νερὸ

—Ρ ρ.. τὸ νερό.
—Νιάο νιάο, ἡ Ριρή.
—Πί πί, τὸ παπί.
—Χ χ ἡ χήνα.

—Χήνα, πάπια, Ριρή,
ἐλᾶτε, πίνετε νερό,
ἔλεγε ἡ Ἄννα.

ω ‖ ὡρολόγι

—Τίκ τάκ, τίκ τάκ,
ἔκανε τὸ ὡρολόγι.
—Μίμη, τὸ ὡρολόγι.
Νά τὸ ὡρολόγι.
Ἐννέα ἡ ὥρα,
ἔλεγε ἡ ῎Αννα.

σ σ.. σιγὰ σ

—Μίμη, "Αννα, σιωπή.
Ἐλᾶτε σιγά - σιγά.
—Γιατὶ σιγὰ, μητέρα;
ρώτησε ἡ "Αννα.
—Νάνι μέσα τὸ μωρό,
ἔλεγε ἡ μητέρα.

Ὁ παπὰς

—Νά τος, ὁ παπάς,
ὁ καλὸς παπάς μας,
ἔλεγε ἡ μητέρα.
—Νὰ σᾶς ἁγιάσω...
Καλὸ μήνα,
ἔλεγε ὁ παπάς.

Σ   Ὁ Σωτήρης

— Ἔλλη, Ἔλλη, ἔλα.
Πᾶμε ὡς τὸ Σωτήρη.
Σὲ παρακαλῶ, πᾶμε,
ἔλεγε ἡ Ἄννα.
Τότε ἡ Ἔλλη ρωτᾶ :
Γιατί νὰ πᾶμε;
Τί νὰ κάνωμε, Ἄννα;

Σύκα

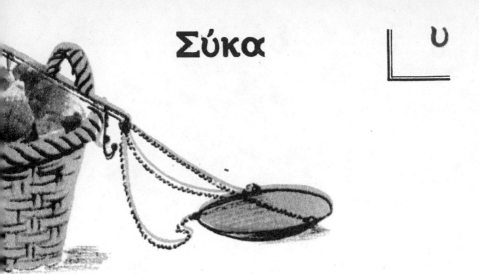

Ὁ Σωτήρης ἔλεγε:
—Σύκα, καλὰ σύκα.
"Εχω σύκα μέλι.
"Ελα, πάρε "Αννα.
Πάρε κι ἐσὺ "Ελλη.
Πάρετε καλὰ σύκα...

δέμα

—Δέτε ἕνα δέμα.
Δέτε δέμα μὲ δῶρα,
ἔλεγαν ὅλα μὲ γέλια.
Ὁ πατέρας ἔλεγε:
— Μίμη, πάρε τὸ δῶρο.
Ἄννα, πάρε κι ἐσύ.
Πάρε κι ἐσὺ Ἔλλη.

Ὁ Ἠλίας

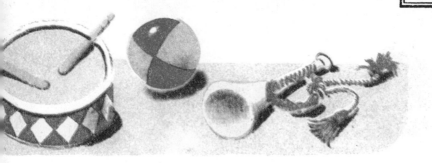

— Ἠλία, Ἠλία ἔλα.
Ἔλα νὰ δῆς δῶρα.
Τὰ ἔδωσε ὁ πατέρας.
Δὲς τὸ τόπι...
Δὲς τὴ χήνα...
Τί πολλὰ δῶρα, Ἠλία,
ἔλεγε ἡ Ἄννα.

Β β... ὁ Βοριὰς

—Β β... ἔκανε ὁ Βοριάς.
Β β...ἔκανε μὲ βοή.

Ἡ μητέρα ἔλεγε:
—Βάλε σακάκι, Μίμη.
Βάλετε ὅλα κάτι.
Τί δυνατὸς Βοριάς!
Πολὺ δυνατὸς βοριάς.

Δ ⌐ Ὁ Δῆμος

Ὁ Μίμης ἔλεγε:
— Δῆμο, Δῆμο ἔλα
Δὲς ἕνα καράβι.
Ἕνα μεγάλο καράβι.
Κι ὁ Δῆμος ἔλεγε:
—Βάλε, Μίμη, τιμόνι.
Βάλε, Μίμη, πανιά.

Ὥρα καλή

— Ὥρα καλή, καράβι.
Σύρε γιαλὸ - γιαλό.
Σύρε μὲ τὸ καλό,
ἔλεγε ὁ Μίμης.

— Ὥρα καλή, καράβι.
Σύρε μὲ τὸ Βοριά.
Σύρε μὲ τὸ Νοτιά,
ἔλεγε κι ὁ Δῆμος.

ζ **ζυμάρι**

Ἡ Ἕλλη ἔλεγε:
—Ὦ, τί πολὺ ζυμάρι!
Γιαγιά, δῶσε ζυμάρι.
Δῶσε γιὰ νὰ ζυμώσω.
Νὰ ζυμώσω κι ἐγώ.

Ὁ Ζήσης   Ζ

Νά ὁ Ζήσης ὁ μανάβης.
Γύριζε μὲ τὸ ζῶο
κι ἔλεγε δυνατά:
—Ρόδια, καλὰ μῆλα,
λάχανα, πατάτες...

Ἡ Ἄννα ἔλεγε:
—Ζήση, δῶσε μας μῆλα.
Ζήση, δῶσε μας ρόδια.

Θ θ Θυμάρι

—Θυμάρι, θυμάρι, Ζωή.
Δὲς τί καλὸ θυμάρι.
Μύρισε, Ζωή, θυμάρι.
Θέλω νὰ τὸ μυρίσῃς,
ἔλεγε ἡ ʺΑννα.

Ὁ Σταμάτης στ

Νά ὁ κύριος Σταμάτης.
Νά τος μὲ ἕνα καλάθι.
Τὸ βαστᾶ στὸ ἕνα χέρι.
Στὸ ἄλλο, βαστᾶ ζυγαριά.
Τί νὰ ἔχη στὸ καλάθι;
Θὰ ἔχη θαλασσινά.

Ψάρια, ψάρια

—Ψάρια, ἐδῶ τὰ ψάρια.
Θαλασσινὰ ψάρια.
῎Εχω ψάρια γιὰ ψητά,
ψάρια γιὰ τηγανητά.
Πάρετε καλὰ ψάρια,
ἔλεγε ὁ Σταμάτης,
ὁ Σταμάτης ὁ ψαράς.

φωτιὰ

Ἡ Ἄννα φυσᾶ τὴ φωτιά.
Τὴ φυσᾶ δυνατά: φ φ...
Ἡ φωτιὰ ὅμως δὲν ἄναβε.
Ἡ Ἄννα ἔφερε δαδί.
Τὸ ἔβαλε στὴ φωτιὰ
κι ἐφύσησε πάλι: φ φ...
Ἡ φωτιὰ ἄναψε ἀμέσως.

Ф

Ἡ κυρία Φανὴ

Νά ἡ κυρία Φανή.
Νά ἡ μητέρα τῆς Ἄννας,
Νά την μὲ τὰ ψάρια.
Τὰ καθάρισε καλὰ
κι ἔλεγε στὴν Ἄννα:
—Φέρε, Ἄννα, τὸ τηγάνι.
Φέρε, Ἄννα, τὸ λάδι.
Θὰ τηγανίσωμε ψάρια.

Ф

ξ ┐ ξύλα

Ἡ κυρία Φανὴ φώναξε:
— Φέρε, Ἄννα, ξύλα.
Βάλε τα στὴ φωτιά.

Ἡ Ἄννα ἔφερε ξύλα.
Τὰ ἔβαλε στὴ φωτιὰ
κι ἐφύσησε δυνατά: φ φ.
Ἡ φωτιὰ ἄναψε πολύ.
Ἔφεξε ὅλο τὸ δωμάτιο.

Ἡ κυρία Ξένη

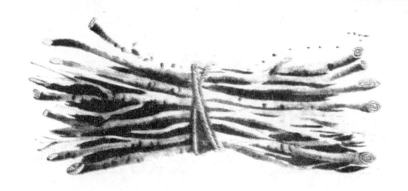

Ἡ κυρία Ξένη ἔλεγε:
—Ξύλα, ἔχω ξηρὰ ξύλα.
Ξύλα γιὰ τὴ φωτιά.
Ξύλα γιὰ τὸ καζάνι.
Ὁ πατέρας ἀγόρασε ξύλα,
ἀγόρασε πολλὰ ξύλα.

Ὑπερήφανος κόκορας

—Κικιρίκο! Κικιρίκο,
φώναζε ὁ κόκορας.
Καμαρωτός, καμαρωτός.
Ὑπερήφανος κόκορας.

Τὸ κοκοράκι φώναζε:
—Κικιρίκι! Κικιρίκι!
Σὰν νὰ ἔλεγε:
«Ὑπερήφανε κόκορα!
Δὲς κι ἐμένα...»

Ἡ εἰκόνα

Ψηλὰ ἦταν ἡ εἰκόνα,
ἡ εἰκόνα τῆς Παναγίας.
Νά ἡ Ἄννα ἀπὸ κάτω,
κάτω ἀπὸ τὴν εἰκόνα.
Γονατίζει σιγὰ - σιγά.
Ὕστερα λέει:
— Ἅγιος ὁ Θεός...

Ἡ οἰκογένεια

Δέτε τὴν οἰκογένεια.
Ἕτοιμοι ὅλοι νὰ φᾶνε.
Νά ὁ πατέρας, ἡ Λόλα,

ὁ Μίμης, ἡ Ἕλλη, ἡ Ἄννα,
ἡ γιαγιὰ κι ἡ μητέρα.
Τί μεγάλη οἰκογένεια!

Τὸ σχοινάκι

Ἡ Ἄννα πηδᾶ τὸ σχοινάκι.
Τρέχει μὲ χαρά,
κι ὅλο λέει:
Τρέχω, τρέχω,
μὲ χαρὰ πηδῶ,
τὸ σχοινάκι τὸ ἀγαπῶ.

σχ, τρ

71

Μού...ἡ ἀγελάδα

Μού, μού...ἡ ἀγελάδα.
Μού...ἔκανε ἡ ἀγελάδα,
σὰν νὰ ἔλεγε:
«Θέλω τὸ φαγητό μου.

Φέρε, "Αννα, φύλλα».
Ἡ "Αννα ἔφερε φύλλα.
Ἡ ἀγελάδα ἔτρωγε
κι ἐκουνοῦσε τὴν οὐρά.

Τὸ σπιτάκι

Ὁ Μίμης λέει :
— "Αννα, φέρε πέτρες.
Φέρε ξύλα, φέρε λάσπη.
Θὰ κτίσω ἕνα σπιτάκι.

σπ,　　　　κτ, δρ

Τὰ δύο ἀδερφάκια ἴδρωσαν.
Ἴδρωσαν στὴ δουλειὰ
κι ἔκτισαν τὸ σπιτάκι.

Ὅταν τὸ τελείωσαν,
τραγουδοῦσαν:
«Σπίτι μου, σπιτάκι μου,
σπιτοκαλυβάκι μου...»

Ἡ αἴθουσα

Νά ἡ αἴθουσα.
Εἶναι πολὺ μεγάλη.
Εἶναι πολὺ ὡραία.
Ἔχει πολλὰ παράθυρα.
Ἔχει πολὺ ἥλιο,
ἥλιο πολὺ καὶ φῶς.

Νά καὶ ἡ δασκάλα.
Εἶναι στὴν ἕδρα της.
Νά καὶ τὰ παιδιά.

Εἶναι στὰ θρανία τους.
Γράφουν στὰ τετράδια.
Γράφουν τὴ γραφή τους.

Ἡ θεία Εὐγενία

Νά ἡ θεία Εὐγενία.
Νά καὶ ἡ κόρη της.
Ὁ Μίμης τρέχει.
Τρέχει καὶ ἡ Ἄννα.
Χαιρετοῦν τὴ θεία.

Ἡ θεία τοὺς δίνει κάτι.

Τοὺς δίνει ἕνα κουτί.

Τὸ κουτὶ ἔχει εὐζωνάκια.

Ἔχει πολλὰ εὐζωνάκια.

Εἶναι ὅλα μολυβένια.

Ἡ Εὐτυχία

Τὰ παιδιὰ χορεύουν.
Χορεύουν στὸν πεῦκο.
Χορεύει καὶ ἡ Εὐτυχία.
Πρώτη σέρνει τὸ χορό.

Ὅλα μαζὶ τραγουδοῦν:
«Χαίρεται ὁ πεῦκος τὸ βουνὸ
καὶ ἡ ρεματιὰ τὴ λεύκα,
μὲ τὸ λευκό της τὸ κορμὶ
καὶ τὰ ἀσημένια φύλλα».

Αὐγό, αὐγό!

Ἡ ᾿Άννα ἔχει ἕνα αὐγό.

Τὸ δείχνει στὴν Εὐτυχία.

Τὸ δείχνει καὶ λέει:

— Αὐγό, αὐγό, ἕνα αὐγό.

Εὐτυχία, δὲς ἕνα αὐγό.

Τὸ ἔκαμε ἡ μαύρη κότα.

Αὔριο θὰ κάμη κι ἄλλο.

Ἡ Ἄννα κρύβει τὸ αὐγό.
Τὸ κρύβει στὰ χέρια της
καὶ λέει στὴν Εὐτυχία:
— Σπάζω πάγο, βρίσκω ἀσήμι,
Σπάζω ἀσήμι, βρίσκω μάλαμα.
                              Τί εἶναι;

Ἡ Εὐτυχία λέει:
— Τὸ βρῆκα, τὸ βρῆκα.
Εἶναι τὸ αὐγό, Ἄννα...

Γαυ

Τὸ αὐτοκίνητο

Ἕνα αὐτοκίνητο περνᾶ.
Τί ὡραῖο αὐτοκίνητο!
Ἡ Αὔρα τὸ κυνηγᾶ.
Τρέχει καὶ γαυγίζει.

αυ

Θέλει νὰ τὸ φτάση.
Τὸ αὐτοκίνητο φεύγει.
Ἡ Αὔρα γαυγίζει ἀκόμη:
—Γαβ-γαυ, γαφ-γαυ!

Καληνύχτα

Τίκ-τάκ, τίκ-τάκ,
χτυπᾶ τὸ ὡρολόγι.
Χτυπᾶ σὰν νὰ λέῃ:
«Ὥρα ὀχτώ. Καληνύχτα».

Τὰ παιδιὰ γονατίζουν.
Γονατίζουν στὴν εἰκόνα.
Λένε τὴν προσευχή τους:

«Σὲ παρακαλῶ, Θεέ μου,
νὰ φυλᾶς τὴ γιαγιά,
τὸν πατέρα, τὴ μητέρα
κι ὅλα τὰ καλὰ παιδιά».

πν ⌐ **Ξύπνησε παιδί**

Ξύπνα, ξύπνησε, παιδί.

Κικιρίκου, οἱ πετεινοί.

Φύγε, νύχτα σκοτεινή,

τὸ πουλάκι κελαηδεῖ.

Ξύπνα, ἐφάνηκε ἡ αὐγή.

Πάει πιὰ ἡ νύχτα αὐτή.

Ἦρθε ἡ χαρὰ στὴ γῆ.

— Τσίου. τσίου! τσ

«Τσίου-τσίου. Τσίν-τσίν»,
κελαηδοῦν τὰ πουλάκια.
Εἶναι σὰν νὰ λένε:
«Ξυπνῆστε ἀρνάκια.
Ξυπνῆστε κατσικάκια.
Τσίου-τσίου. Τσίν-τσίν».

Παίζουν τὸ λύκο

‘Η ῎Αννα ρωτᾶ:

— Παιδιά, παίζομε τὸ λύκο;

— Παίζομε, λένε ἐκεῖνα.

—᾽Εγὼ λύκος, λέει ὁ Μίμης
καὶ δένει τὰ μάτια του.

—᾽Εγὼ ἀρνάκι, λέει ἡ ῎Αννα.

—᾽Εγὼ κατσικάκι, λέει ἡ ῎Ελλη.

Τὸ παιγνίδι ἀρχίζει.

Τὰ κορίτσια τραγουδοῦν:

—Μὲς στὸ δάσος περπατῶ.

Τριγυρνῶ καὶ τραγουδῶ:

«Λύκε, λύκε, εἶσαι ἐδῶ;»

Ὁ Μίμης ἀποκρίνεται:

—Βάζω τὰ παπούτσια μου.

Τὸ μπαστούνι

Ὁ Μίμης ἔχει μπαστούνι.
Ἔχει μεγάλο μπαστούνι.
—Μπέ, κάνουν τὰ κορίτσια.
καὶ τραγουδοῦν πάλι:
—Μὲς στὸ δάσος περπατῶ.
Τριγυρνῶ καὶ τραγουδῶ:
«Λύκε, λύκε, εἶσαι ἐδῶ;»

Ὁ Μίμης λύνει τὰ μάτια,
κάνει μιὰ τούμπα
καὶ λέει γρήγορα:
—Παίρνω τὸ μπαστούνι
καὶ σᾶς κυνηγῶ...

Ντίν-ντάν, ἡ καμπάνα

«Ντίν-ντάν, ντίν ντάν»,
χτυπᾶ ἡ καμπάνα.
Σήμερα εἶναι Κυριακή.

Τὰ παιδιὰ σηκώνονται
κι ἑτοιμάζονται.
Ντύνονται μὲ χαρά.
Θὰ πᾶνε στὴν ἐκκλησία.

Σὲ λίγο φτάνουν.

Φτάνουν στὴν ἐκκλησία

καὶ μπαίνουν μέσα.

Ὅλα ἐκεῖ εἶναι ὡραῖα.

Τὰ καντήλια ἀναμμένα.

Τὸ λιβάνι μοσχοβολᾶ.

Ὁ παπὰς εὐλογεῖ.

Δίνει εὐχὲς σὲ ὅλους.

Ἡ Χιονισμένη αὐλὴ ⌐σμ

Ὅλα εἶναι χιονισμένα.

Εἶναι σκεπασμένα μὲ χιόνι.

Εἶναι λευκά, κατάλευκα.

Τὰ παιδιὰ χαίρονται.

Ἑτοιμάζονται νὰ παίξουν.

Νὰ παίξουν μὲ τὸ χιόνι.

Ντύνονται ζεστὰ ροῦχα.
Κατεβαίνουν στὴν αὐλή.
Κάνουν μπάλες μὲ χιόνι.
Παίζουν καὶ τραγουδοῦν:

«Χιόνι ἔπεσε πολύ.
Κρύο κάνει στὴν αὐλή.
Κοκκινίζει ἡ μύτη μας,
τρέχομε στὸ σπίτι μας».

Στὸ τζάκι

Κοιτᾶτε τὸ τζάκι.
Λάμπει ἀπὸ τὴ φωτιά.
Κοιτᾶτε καὶ τὰ παιδιά.
Εῖναι κοντὰ στὸ τζάκι.

τζ

Νά καὶ ἡ γιαγιὰ μαζί.
Ζεσταίνεται καὶ λέει:
—Κάνει κρύο, παγωνιά.
Θέλω τζάκι καὶ γωνιά.

Ἡ Ἄννα σηκώνεται.   βλ

Φεύγει ἀπὸ τὸ τζάκι.

Πάει κοντὰ στὸ τζάμι.

Κοιτάζει ἔξω, στὴν αὐλή.

Τὴ βλέπει χιονισμένη.

Ἡ Ἄννα τότε λέει:

—Κάνει κρύο, παγωνιά.

Θέλω τζάκι καὶ γωνιά.

Ὁ Σγουρὸς

Νά τος ὁ Σγουρός,
ποὺ ἔχει σγουρὰ μαλλιά.
Παίζει τὸν ταχυδρόμο.
"Εχει μεγάλη σάκα.

Σάκα γεμάτη γράμματα.
Τὰ ἔγραψαν τὰ παιδιά.
Ὁ Σγουρὸς τὰ μοιράζει.
Βγάζει ἔνα-ἔνα γράμμα.

βγ

Διαβάζει τὸ ὄνομα
καὶ τὸ δίνει στὸν Τζανή.
Ἐκεῖνος τὸ ἀνοίγει.
Διαβάζει καλὰ τὸ γράμμα
καὶ κάνει ὅτι γράφει.

Ὁ βασιλικὸς

Ἡ Βασδέκη τραγουδᾶ:
«Μάνα, σγουρὸς βασιλικός,
πλατύφυλλος καὶ δροσερός.
Μάνα, ποιός τὸν ἐπότιζε
καὶ τὸν ἐδροσολόγιζε;
Ἔβγαλε φύλλα καὶ κλωνιὰ
κι ἐσκέπασαν τὴ γειτονιά.
Ἐσκέπασαν κι ἐμένα,
ποὺ μὲ ἔχει ἡ μάνα ἕνα...»

Αὐτὸ ἔγραφε τὸ γράμμα.
Αὐτὸ ἔκανε ἡ Βασδέκη.

Ἡ σβούρα

ρίξε τὴ σβούρα σου

Ὁ Ἀσβεστὰς διαβάζει:
Διαβάζει στὸ γράμμα:
«Ρίξε τὴ σβούρα σου!»
Βγάζει τότε τὴ σβούρα
καὶ τὴν πετᾶ μὲ ὁρμή.
Σβίν...κάνει ἐκείνη
καὶ γυρίζει γρήγορα.

σβ

Ὁ κόκορας

Ἡ Ἄννα διαβάζει.

Διαβάζει στὸ γράμμα της:

«Βασιλέας δὲν εἶμαι,

κορόνα φορῶ.

Ρολόγι δὲν ἔχω,

Τὶς ὧρες μετρῶ.

Τί εἶναι;»

Τὰ παιδιά ἀπαντοῦν:

—Κικιρίκου, ὁ κόκορας.

Ἡ Ἄννα τότε λέει:

—Τὸ ηὕρατε, τὸ ηὕρατε.
Εὐχαρίστησε τὸ Σγουρὸ
καὶ ὅλα τὰ παιδιά.
Τὸ παιγνίδι ἐτελείωσε.

Τὸ φεγγάρι

Ἡ ᾿Άννα κοιτάζει.
Κοιτάζει τὸ φεγγάρι
καὶ λέει:

γγ

«Φεγγαράκι φωτεινό,
φέγγει ἀπὸ τὸν οὐρανό.
Σὰν καντήλι κάθε βράδυ,
φέγγει μέσα στὸ σκοτάδι».

Ὁ γκιώνης

—Γκιών, γκιών!
φωνάζει ὁ γκιώνης.

Ὁ γκιώνης εἶναι πουλί.
Εἶναι νυχτοπούλι.
Πετᾶ στὰ δέντρα.
Βλέπει τὸ φεγγάρι
καὶ φωνάζει:
—Γκιών, γκιών!

Στὴν ἐξοχὴ

Νά τὰ παιδιά,
νά τα στὴν ἐξοχή.
Πῆγαν ἐκδρομὴ σήμερα
καὶ ἔχουν μεγάλη χαρά.

Ὁ Λάμπρος παίζει.

Ὁ Στρατὴς τρέχει.

Ὁ Βαγγέλης τραγουδᾶ.

Ὁ Γκίκας χοροπηδᾶ.

119

Ἡ νεραντζούλα

Νά καὶ τὸ περιβόλι.

Εἶναι τοῦ κὺρ Λάμπρου.

Ἡ Ἄννα μπαίνει μέσα.

Βλέπει τὶς λεμονιές.

Βλέπει τὶς νεραντζιές.

Ἡ Ἄννα τραγουδεῖ:
«Νεραντζούλα φουντωμένη,
μὲ νεράντζια φορτωμένη».

Ὁ ἀϊτὸς

Ὁ ἀϊτὸς τοῦ Μίμη πετᾶ.

Πετᾶ ψηλὰ στὸν οὐρανό.

Φαίνεται σὰν πουλί.

Ὁ Μίμης τὸν καμαρώνει.

καὶ κρατεῖ τὸ σχοινὶ γερά.

Ἡ Ἀγλαΐα εἶναι πλάϊ του.
Καμαρώνει κι αὐτὴ
καὶ λέει:
—Νά τος, νά τος ὁ ἀϊτός,
ὄμορφος καμαρωτός.
Νά τος πῶς πετᾶ ψηλά,
μᾶς κοιτάζει καὶ γελᾶ.

Ἡ μυίγα

Μιὰ μυίγα πετᾶ.
Εἶναι μιὰ μεγάλη μυίγα.
Εἶναι μιὰ χρυσόμυιγα.

Ἡ Ἀγλαΐα βλέπει τὴ μυίγα,
τὴν ἀκούει ποὺ βουΐζει
καὶ θέλει νὰ τὴν πιάσῃ.
Ἡ χρυσόμυιγα ὅμως φεύγει.
Πετᾷ μακριά.

Ὁ ἔλεγχος

Ἡ Ἄννα κοιτάζει.

Κοιτάζει τὸν ἔλεγχο.

Βλέπει τὸν βαθμό της

καὶ λέει:

—Πῆρα «ἄριστα».

Θὰ χαρῆ ἡ γιαγιά.
Θὰ χαροῦν οἱ γονεῖς.
Θὰ χαροῦν ὅλοι,
ὅταν δοῦν τὸν ἔλεγχο.

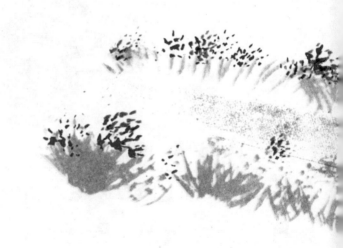

Άλφα — Βῆτα

Άλφα, βῆτα, γάμα, δέλτα.
Όλα τὰ βιβλία φέρ' τα
καὶ μολύβι καὶ χαρτί,
γιὰ νὰ γράφω κάθε τί.
Γιὰ νὰ γράφω γραμματάκια,
Τοῦ Θεοῦ τὰ πραματάκια.

Τὰ γράμματα

α	Α	ἄλφα	ι	Ι	γιῶτα
β	Β	βῆτα	κ	Κ	κάπα
γ	Γ	γάμα	λ	Λ	λάμδα
δ	Δ	δέλτα	μ	Μ	μὶ
ε	Ε	ἔψιλον	ν	Ν	νὶ
ζ	Ζ	ζήτα	ξ	Ξ	ξὶ
η	Η	ἦτα	ο	Ο	ὄμικρον
θ	Θ	θῆτα	π	Π	πὶ

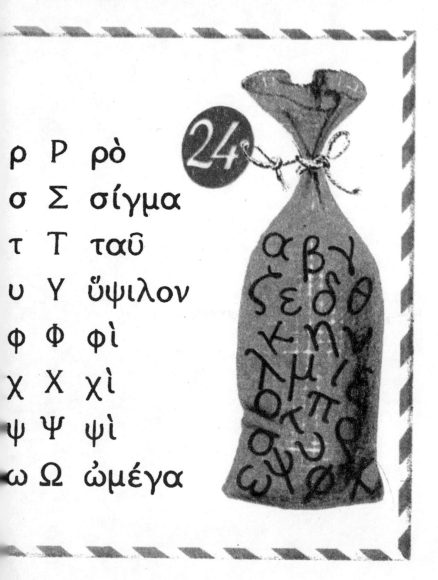

ρ	Ρ	ρὸ
σ	Σ	σίγμα
τ	Τ	ταῦ
υ	Υ	ὕψιλον
φ	Φ	φὶ
χ	Χ	χὶ
ψ	Ψ	ψὶ
ω	Ω	ὠμέγα

Μέρος
δεύτερο

Πρωινὴ προσευχὴ

Κάθε πρωὶ ἡ Ἄννα προσεύχεται.
Σταυρώνει τὰ χέρια καὶ λέει:
«Μόλις πρωὶ ξυπνήσω,
Ἐσένα θὰ ὑμνήσω,
Θεέ μου καὶ πατέρα,
καὶ Σὲ παρακαλῶ,
πάλι νὰ μὲ φωτίσης
καὶ νὰ μὲ βοηθήσης
καὶ τούτη τὴν ἡμέρα,
νὰ εἶμαι παιδὶ καλό.»

Στὴ βρύση

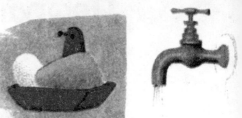

Ὁ Μίμης ξύπνησε.

Ξύπνησε πρωΐ-πρωΐ σήμερα.

Ἔτσι ξυπνᾶ πάντοτε.

Μόλις σηκωθῆ ἀπὸ τὸ κρεββάτι,
πηγαίνει ἀμέσως στὴ βρύση.

Τὴν ἀνοίγει καὶ πλύνεται.

Πλύνεται μὲ νερὸ καὶ σαπούνι.

Θέλει νὰ εἶναι καθαρός.

Θέλει τὴν ὑγεία του.

Τὸ σαπούνι κάνει ἀφρούς.

Ὁ Μίμης χαίρεται τὸ νερό,
χαίρεται καὶ τὸ σαπούνι.

Γύρω στὸ τραπέζι

Ὅλοι εἶναι στὸ τραπέζι.
Παίρνουν τὸ πρωινό τους.
Πίνουν ζεστὸ γάλα, πίνουν τσάι.
Τρῶνε καὶ λίγες φέτες ψωμί.
Ὅλοι εἶναι χαρούμενοι
καὶ τρῶνε μὲ ὄρεξη.

Μὲ ὄρεξη τρώει καὶ ἡ Λόλα.
Ἔμαθε πὼς τὸ γάλα κάνει καλό.
Κάνει μεγάλο καλό στὰ παιδιά.
Ἡ Λόλα πίνει ὅλο τὸ γάλα.
Σηκώνει τὸ φλιτζάνι καὶ λέει:
—Μητέρα, ἤπια ὅλο τὸ γάλα.
—Εὖγε, τῆς ἀπαντᾷ ἡ μητέρα.

Ἡ κούκλα τῆς Ἔλλης

Ἡ Ἔλλη δέν πηγαίνει σχολεῖο.
Εἶναι, βλέπετε, μικρή ἀκόμη.
Μόλις ἔχει κλείσει τά πέντε.
Κάθεται σπίτι μαζί μέ τή Λόλα.
Πότε παίζει μέ τήν ἀδερφή της
καί πότε μέ τήν κούκλα της.
Τή ντύνει καί τή στολίζει.

Όταν τή βάζη νά κοιμηθῆ,
τή νανουρίζει καί λέει:

«Νάνι, νάνι τό κουκλί μου,
νάνι, νάνι τό μωρό μου,
νάνι, νάνι τό παιδί μου,
νάνι, νάνι τό χρυσό μου.

Έλα, ὕπνε, ἀγκάλιασέ το,
ἔλα, πάρ' το ἀγάλι-ἀγάλι
κι ἐλαφρά νά τό κοιμήσης
στή ζεστή σου τήν ἀγκάλη.

Κοιμήσου καί παράγγειλα
στήν Πόλη τά προικιά σου.
Στά Γιάννενα τά ροῦχα σου
καί τά χρυσαφικά σου».

Τὰ χελιδόνια

Τὰ παιδιὰ κοιμοῦνται ἀκόμη.
Μόνο ἡ Ἄννα ἔχει ξυπνήσει.
Πηγαίνει στὸ παράθυρο.
Τὸ ἀνοίγει καὶ κοιτάζει ἔξω.
Βλέπει νὰ πετοῦν χελιδόνια
καὶ φωνάζει μὲ χαρά:

— Παιδιά, σηκωθῆτε,
ἦρθαν τὰ χελιδόνια.
Μίμη, Ἕλλη, Λόλα, σηκωθῆτε!

Πρῶτος σηκώνεται ὁ Μίμης.
Ὕστερα σηκώνεται ἡ Ἕλλη.
Τελευταία σηκώνεται ἡ Λόλα.
Ὅλα τρέχουν στήν Ἄννα
καί τήν ρωτοῦν:

— Ποῦ εἶναι τά χελιδόνια;
— Νά τα, νά τα, λέει ἐκείνη.
Ἐλᾶτε κοντά νά δῆτε.

Τά παιδιά κοιτάζουν ἔξω
καί βλέπουν τά χελιδόνια.
Τότε κουνοῦν τά χέρια τους
καί λένε χαρούμενα:

— Καλῶς ἤρθατε, καλῶς ἤρθατε.
Σᾶς περιμέναμε, καλά πουλάκια!

Χελιδόνι μου γλυκὸ

— Χελιδόνι μου γλυκό,
ποὺ πετᾶς στὸν οὐρανό,
ποῦ ἤσουνα τόσον καιρό;
Σὲ ζητοῦσα σὰν τρελό.

—Ἤμουνα στὴν ξενιτιὰ
κι ἔπαιζα μ' ἄλλα παιδιά.
Τώρα ἔρχομαι ξανὰ
στὴν παλιά μου τὴ φωλιά.

— Χελιδόνι μου γλυκό,
ποὺ πετᾶς στὸν οὐρανό,
ἔλα κάτω νὰ σοῦ πῶ,
πὼς πολὺ σὲ ἀγαπῶ.

Ἦρθε ἡ Ἄνοιξη

Ἦρθε ἡ Ἄνοιξη!
Ὅλα εἶναι χαρούμενα τώρα.
Ὁ οὐρανός εἶναι γαλανός.
Δὲν ἔχει πιὰ σύννεφα.
Τὰ χιόνια ἔχουν λιώσει.
Οἱ βοσκοὶ ἔφυγαν.
Ἔφυγαν μὲ τ᾽ ἀρνιά τους
καὶ πῆγαν στὰ ψηλὰ βουνά.

Τὰ δέντρα ἔβγαλαν ἄνθη,
ἔβγαλαν πράσινα φύλλα.
Τὰ παιδιὰ ἔχουν χαρὰ τώρα.
Ἔφυγε πιὰ ὁ Χειμώνας.
Πάει ἡ παγωνιὰ καὶ τὸ κρύο.
Ἡ Ἄννα χαρούμενη τραγουδεῖ:

«Ἦρθε ἡ Ἄνοιξη, παιδιά,
καὶ μᾶς ἔφερε κλαδιά,
πεταλοῦδες καὶ πουλάκια
καὶ ὡραῖα λουλουδάκια».

Ἡ ἐορτὴ τοῦ Εὐαγγελισμοῦ

Ξημέρωσε ἡ μέρα τοῦ Εὐαγγελισμοῦ.
Οἱ καμπάνες χτυποῦν χαρούμενα.
Τὰ παιδιὰ ντύθηκαν τὰ γιορτινά τους
καὶ πηγαίνουν στὸ σχολεῖο.
Μπῆκαν στὴ γραμμὴ
καὶ ξεκινοῦν γιὰ τὴν ἐκκλησία.

Ὅταν τελείωσε ἡ ἐκκλησία,
τὰ παιδιὰ γύρισαν στὸ σχολεῖο.
Ἐκεῖ μαζεύτηκε πολὺς κόσμος,
ποὺ ἤθελε νὰ δῆ τὴν ἑορτή,
τὴν ἑορτὴ τοῦ σχολείου.
Τὰ παιδιὰ τραγούδησαν.
Ὁ δάσκαλος ἔβγαλε λόγο.
Στὸ τέλος ὅλοι φώναξαν:

— Ζήτω ἡ Πατρίδα μας!
— Ζήτω ὁ Στρατός μας!
— Ζήτω ἡ 25η Μαρτίου!

Στή σημαία

Τῆς Πατρίδας μου ἡ σημαία
ἔχει χρῶμα γαλανὸ
καὶ στὴ μέση χαραγμένο
ἕναν κάτασπρο σταυρό.

Κυματίζει μὲ καμάρι,
δὲ φοβᾶται τὸν ἐχθρό.
Σὰν τὴ θάλασσα εἶν᾽ γαλάζια
καὶ λευκὴ σὰν τὸν ἀφρό.

Τὰ καταστήματα

Ὁ Μίμης πηγαίνει στὸ σχολεῖο.
Δίπλα του πηγαίνει ἡ Ἄννα.
Τώρα βρίσκονται στὴν πλατεία
καὶ κοιτάζουν τὰ καταστήματα.
Ἡ Ἄννα διαβάζει:

150

ΠΑΝΤΟΠΩΛΕΙΟΝ
«ΛΙΓΑ ΑΠ'ΟΛΑ»
Γ. ΛΑΔΙΚΑΣ

Ὁ Μίμης λέει:
— Αὐτὸ εἶναι τὸ κατάστημα,
που ὁ πατέρας ἀγοράζει τρόφιμα.
Πιὸ πέρα ἡ Ἄννα διαβάζει:

ΟΠΩΡΟΠΩΛΕΙΟΝ
«ΤΟ ΠΕΡΙΒΟΛΙ»
Κ. ΛΑΧΑΝΑΣ

Ὁ ὀπωροπώλης εἶδε τὰ παιδιὰ
καὶ λέει:
—Ὅλα εἶναι φρέσκα, παιδιά.
Ὅλα εἶναι ἀπὸ τὸ περιβόλι.
Πιὸ πέρα ἡ Ἄννα διαβάζει:

Ὁ Μίμης πιάνει τὸ χέρι τῆς Ἄννας
καὶ λέει:
— Σταμάτησε, Ἄννα, τὸ διάβασμα,
γιατὶ ἡ ὥρα πέρασε
καὶ θὰ πᾶμε ἀργὰ στὸ σχολεῖο.

Στὸ δρόμο

Στὸ δρόμο σὰν βαδίζω,
εἶμαι προσεχτική.
Τὸ βλέμμα δὲν γυρίζω
ἐγὼ ἐδῶ κι ἐκεῖ.

Μὰ πιὸ πολὺ ἀκόμη
προσέχω ὅταν φτάσω
μπρὸς σ' ἕνα σταυροδρόμι,
ποὺ πάω νὰ τὸ περάσω.

Ἡ ἐκκλησία

Νὰ καὶ ἡ ἐκκλησία,
ποὺ λέγεται «Ἅγιος Ἰωάννης».
Ἔχει μεγάλη καμπάνα,
ποὺ ἀκούεται παντοῦ.
Τὰ παιδιὰ κάνουν τὸ σταυρό τους,
ὅταν περνοῦν ἀπὸ τὴν ἐκκλησία.
Κοιτάζουν μήπως ἰδοῦν τὸν παπά,
γιὰ νὰ τοῦ φιλήσουν τὸ χέρι.

Ὅλα τὰ παιδιὰ τοῦ σχολείου
γνωρίζουν τὸν παπα-Ἠλία.
Καὶ ὁ παπα-Ἠλίας γνωρίζει
ὅλα τὰ παιδιὰ τοῦ σχολείου.
Τὰ παιδιά, ὅταν τὸν βλέπουν,

τρέχουν ἀμέσως κοντά του
καί τοῦ φιλοῦν τό χέρι.
Ὁ παπα-Ἠλίας χαμογελᾶ.
Ὕστερα τά εὐλογεῖ.
Τοὺς δίνει τὴν εὐχή του καί λέει:

—Ἔχετε τὴν εὐχή τοῦ Χριστοῦ.
Ἔχετε τὴν εὐχή μου...

Ἡ Λαμπρὴ

Ντίν-ντάν, ντίν-ντάν,
χτυπᾶ τά μεσάνυχτα ἡ καμπάνα.
Δέτε τὴν οἰκογένεια.
Πηγαίνει νύχτα στὴν ἐκκλησία.
Ἐμπρὸς πηγαίνουν τά παιδιά.
Πίσω πηγαίνουν οἱ γονεῖς τους.
Ὅλοι κρατοῦν τὶς λαμπάδες τους.
Ὅλοι φοροῦν τά καλά τους.

Ντίν-ντάν, ντίν-ντάν!
χτυπᾶ χαρωπά ἡ καμπάνα.

Ἡ φωνή της ἀκούεται καθαρά.
Εἶναι σὰν νὰ τοὺς λέῃ:
—Ἐλᾶτε ἀπόψε στὴν ἐκκλησία.
Εἶναι ἡ νύχτα τῆς Λαμπρῆς.
Ἀπόψε θ' ἀναστηθῇ ὁ Χριστός μας.
Ἐλᾶτε ὅλοι νὰ ἑορτάσωμε...

Μπαίνουν μέσα στὴν ἐκκλησία.
Ἐκεῖ ὅλα εἶναι ὡραῖα.
Τὰ καντήλια καὶ οἱ λαμπάδες καῖνε
καὶ σκορποῦν γύρω φῶς.
Ὅλα εἶναι χαρούμενα ἀπόψε,
γιατὶ ὁ Χριστὸς θὰ ἀναστηθῇ.
Χαρούμενα εἶναι καὶ τὰ παιδιά.
Χαρούμενοι εἶναι καὶ οἱ γονεῖς τους.

Ἐπιστρέφουν στὸ σπίτι

Βγαίνουν ἀπὸ τὴν ἐκκλησία.
Κρατοῦν ἀναμμένες λαμπάδες
καὶ εὔχονται ὁ ἕνας στὸν ἄλλον:

— Χριστὸς ἀνέστη!
—Ἀληθῶς ἀνέστη!
Ὁ πατέρας φιλεῖ τὰ παιδιά του.
Τὸ ἴδιο κάνει καὶ ἡ μητέρα.

Ἡ Ἕλλη κρατεῖ τὴ λαμπάδα της
καὶ προσέχει νὰ μὴ σβήση.
Πηγαίνει τὴ λαμπάδα στὸ σπίτι.
Τὴ δίνει στὴ γιαγιὰ καὶ λέει:

Χριστὸς ἀνέστη, γιαγιά.
Ἡ γιαγιὰ τὴ φιλεῖ καὶ λέει:

—Ἀληθῶς ἀνέστη, παιδί μου.
Ὕστερα παίρνει τὴ λαμπάδα.
Πηγαίνει στὸ εἰκόνισμα
καὶ ἀνάβει τὸ καντήλι.

Πασχαλιά

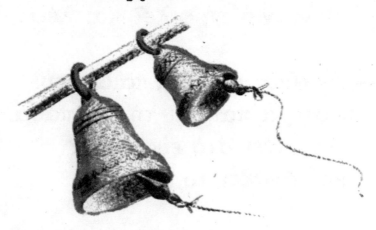

Ήρθε πάλι ή Πασχαλιά
μὲ ἀγάπη, μὲ φιλιά,
μὲ αὐγὸ καὶ μὲ ἀρνί
Χαίρετε, Χριστιανοί.

Τί φορέματα καλά,
τί γλυκίσματα πολλά,
τί τραγούδι καὶ φωνή.
Χαίρετε Χριστιανοί.

Στὴν ἐξοχὴ

Τὰ παιδιὰ πῆγαν στὴν ἐξοχή.
Πῆγαν ἐκδρομὴ μὲ τὸ σχολεῖο.
Ξεκίνησαν τὸ πρωί μὲ γέλια.
Σὲ ὅλο τὸ δρόμο τραγουδοῦσαν.
Ὅταν ἔφτασαν στὴν ἐξοχή,
κοίταζαν τριγύρω μὲ χαρά.
Ἐκεῖ ὅλα ἦσαν ὡραῖα.
Τὰ δέντρα ἦσαν ἀνθισμένα.
Τὰ σπαρτὰ ἦσαν καταπράσινα.
Σὲ λίγο ἄρχισαν τὸ παιγνίδι.
Ἄλλα ἔτρεχαν ἐδῶ κι ἐκεῖ
κι ἄλλα μάζευαν λουλούδια.
Ὁ Μίμης μάζευε λουλούδια.
Θὰ ἔκανε μὲ αὐτὰ στεφάνι.

Οἱ πεταλοῦδες

Ἡ Ἄννα ἔπαιζε μὲ τὶς φίλες της.
Κυνηγοῦσαν πεταλοῦδες.
Μόλις ὅμως πλησίαζαν,
οἱ πεταλοῦδες πετοῦσαν μακριά.

Στὸ τέλος ἡ Ἄννα ἔπιασε μία.
Ἦταν μία μικρὴ πεταλούδα.
Τὰ φτερά της ἦσαν ὡραῖα.
Εἶχαν διάφορα χρώματα.
Ἡ Ἄννα τὴν κρατοῦσε ἁπαλὰ
καὶ τῆς τραγουδοῦσε:

«Ἔλα, πεταλουδίτσα μου,
στάσου νὰ σὲ τσακώσω,
δὲν θὰ σοῦ τσαλακώσω
καθόλου τὰ φτερά.

Θὰ σὲ ταΐζω ζάχαρη,
θὰ σοῦ 'χω γιὰ σπιτάκι
μεταξωτὸ κουτάκι,
θὰ ζήσης μιὰ χαρά...»

Ἡ πεταλούδα ὅμως ἤθελε νὰ φύγη
καὶ ἂν εἶχε φωνὴ θὰ ἔλεγε:

«Γιὰ τὴ δική σου ζάχαρη,
καθόλου δὲ μὲ μέλει.
Τῶν λουλουδιῶν τὸ μέλι,
μ' ἀρέσει πιὸ πολύ.

Ἔχω τὸν κάμπο τὸν πλατύ,
τὴ χλόη τὴ δροσάτη
βασιλικὸ παλάτι,
κοπέλα μου καλή».

Ἡ Ἄννα ἀγαποῦσε τὴν πεταλούδα
καὶ γι' αὐτὸ τὴν ἄφησε νὰ φύγη.

Πρωτομαγιά

Ἦρθε ἡ Πρωτομαγιά, παιδιά,
στοὺς κάμπους σκορπιστῆτε,
μὲς στὴ δροσούλα κι εὐωδιὰ
πετάξετε, χαρῆτε.

Λουλούδια φέρτε δροσερά,
κάντε ὄμορφο στεφάνι
καὶ τραγουδῆστε μὲ χαρά:
«Ὁ Μάης, νά τος, φτάνει!»

Πηγαίνουν στὴ θάλασσα

Μιὰ μέρα ὁ πατέρας εἶπε:
— Παιδιά, θὰ πᾶμε στὴ θάλασσα.
Ἐκεῖ θὰ παίξετε, θὰ χαρῆτε.
Ἐμπρὸς λοιπόν, ἑτοιμαστῆτε.
— Τί χαρά, τί χαρά!
φώναξαν τὰ παιδιά
κι ἔτρεξαν νὰ ἑτοιμαστοῦν.

Ἡ μητέρα ἑτοίμασε φαγητό,
γιὰ νὰ τὸ πάρουν μαζί τους.
Τηγάνισε πολλοὺς κεφτέδες,
ἔβρασε ἀρκετὰ αὐγά,
πῆρε τυρί, ψωμὶ καὶ φροῦτα.
Ὅλα αὐτὰ τὰ ἔφτιαξε ἕνα δέμα,
ποὺ τὸ τύλιξε μὲ προσοχή.

Ὁ πατέρας πῆγε στὴν ἀγορὰ
καὶ ἔφερε ἕνα αὐτοκίνητο.
«Του...του» ἔκανε τὸ αὐτοκίνητο,
καὶ κατέβηκαν ὅλοι κάτω.
Σὲ λίγο ἀνέβηκαν προσεχτικὰ
καὶ τὸ αὐτοκίνητο ξεκίνησε.
Τὰ παιδιὰ εἶχαν μεγάλη χαρά.

Στὴν ἀκροθαλασσιὰ

῎Εφτασαν στὴν ἀκροθαλασσιά.
Κατέβηκαν ἀπὸ τὸ αὐτοκίνητο
καὶ κοίταζαν γύρω.
Ἡ θάλασσα ἦταν τόσο ἥσυχη,
ποὺ ἔμοιαζε σὰν λάδι.
Βαρκοῦλες ἔπλεαν μακριὰ
καὶ οἱ ψαράδες τραγουδοῦσαν.
Τὰ παιδιὰ ἄρχισαν τὸ παιγνίδι.

Ὁ Μίμης εἶχε ἕνα καραβάκι.
Τὸ ἔβαλε σιγὰ-σιγὰ στὴ θάλασσα
κι ἐκεῖνο ἔπλεε, χωρὶς νὰ βουλιάζη.
Ἡ Ἄννα πετοῦσε πέτρες
καὶ ἄκουε ποὺ ἔκαναν «μπλούμ».
Ἡ Ἔλλη μάζευε χαλικάκια.
Ἡ Λόλα ἔπαιζε μὲ τὴν ἄμμο.
Ὅλα τὰ παιδιὰ ἔκαναν κάτι.

Τὸ μεσημέρι

Ὅταν ἦρθε τὸ μεσημέρι,
ἔστρωσαν στὴν ἄμμο νὰ φᾶνε.
Ὅλοι ἔφαγαν μὲ ὄρεξη τὰ φαγητά,
ποὺ τοὺς φάνηκαν πολὺ νόστιμα.
Μετὰ τὸ φαγητὸ τραγούδησαν.
Ἡ Ἕλλη σηκώθηκε σοβαρή-σοβαρή
καὶ εἶπε αὐτὸ τὸ ποίημα:

«Κάτω στὸ γιαλό, στὴν ἄμμο,
τὰ καβούρια κάνουν γάμο.
Μὲ καλέσανε νὰ πάω,
νὰ χορέψω καὶ νὰ φάω.

Παίζει ὁ ποντικὸς βιολὶ
κι ἡ χελώνα παίζει ντέφι.
Πέρασε κι ἕνα πουλὶ
καὶ μᾶς λέει: «Χαρὰ στὸ κέφι!»

Τί γέλια ποὺ ἔκαναν ὅλοι.
Ἀκόμα καὶ ἡ Λόλα γελοῦσε.
Ὁ πατέρας εἶπε στὴν Ἕλλη:
—Εὖγε σου, Ἕλλη, εὖγε σου.

Στὰ χωράφια

Τὰ παιδιὰ πῆγαν περίπατο.
Καθὼς ἐβάδιζαν στὰ χωράφια,
ἔβλεπαν τὰ στάχυα τοῦ σιταριοῦ,
ποὺ ἦσαν κατακίτρινα
κι ἔγερναν τὸ κεφάλι τους,
σὰ νὰ χαιρετοῦσαν.
Ἡ δασκάλα τότε εἶπε:

—Βλέπετε τὰ κίτρινα στάχυα;
Βλέπετε ποὺ μᾶς χαιρετοῦν;
Σὲ λίγο θὰ τὰ θερίσουν.

Τὸ ψωμὶ

"Όταν γύρισαν στὸ σχολεῖο,
ἡ δασκάλα ρώτησε:
—Ποιός ξέρει νὰ μᾶς πῆ,
πῶς γίνεται τὸ ψωμί;
Ἡ Ἄννα τότε εἶπε:

—Παίρνουν τὸ σιτάρι ἀπὸ τὸ χωράφι
καὶ ἔπειτα τὸ ἀλέθουν·
γιὰ νὰ τὸ κάμουν ἀλεύρι.
Ζυμώνουν τὸ ἀλεύρι μὲ νερὸ
καὶ πηγαίνουν τὸ ζυμάρι στὸ φοῦρνο.
Ψήνεται τὸ ζυμάρι καὶ γίνεται ψωμί.

Τὸ καλοκαίρι

Ἦρθες, ἦρθες, καλοκαίρι,
κι ὁ Θεὸς πολλὰ
μὲ τὸ ἅγιο του τὸ χέρι
σκόρπισε καλά.

Στὶς μυρτιὲς κρυμμέν' ἀηδόνια
τραγουδοῦν γλυκὰ
καὶ πετοῦν τὰ χελιδόνια
μ' ἐλαφρὰ φτερά.

Ὄμορφ' ἄνθη στὸν ἀέρα
χύνουν μυρουδιά.
Καὶ λουλούδια στὴ μητέρα
φέρνουν τὰ παιδιά.

Κάθε πρωί

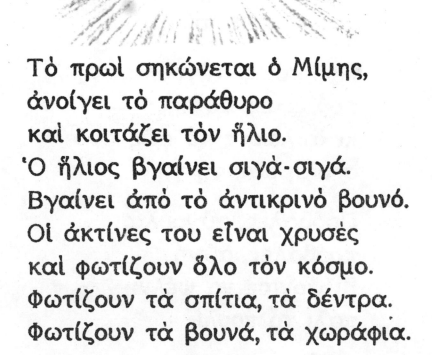

Τὸ πρωὶ σηκώνεται ὁ Μίμης,
ἀνοίγει τὸ παράθυρο
καὶ κοιτάζει τὸν ἥλιο.
Ὁ ἥλιος βγαίνει σιγὰ-σιγά.
Βγαίνει ἀπὸ τὸ ἀντικρινὸ βουνό.
Οἱ ἀκτίνες του εἶναι χρυσὲς
καὶ φωτίζουν ὅλο τὸν κόσμο.
Φωτίζουν τὰ σπίτια, τὰ δέντρα.
Φωτίζουν τὰ βουνά, τὰ χωράφια.

Ἡ αὐγούλα

Πρόβαλες, αὐγούλα,
πρόβαλες, αὐγή,
καὶ στὸν κόσμο χύνεις
μιὰ γλυκιὰ πνοή.

Πρόβαλες, αὐγούλα,
πρόβαλες, αὐγή,
κι ἄπλωσες τὸ φῶς σου
σ' ὅλη μας τὴ γῆ.

Πρόβαλες, αὐγούλα,
πρόβαλες, αὐγή.
Κι ἄρχισε νὰ ψέλνη
πάλι τὸ πουλί.

Τὰ δῶρα τοῦ ἥλιου

—Ἥλιε, ἀπὸ ποῦ ἔρχεσαι;

— Ἀπὸ τὴν Ἀνατολή.

— Τί καλὰ μᾶς ἔφερες;

— Φέρνω μῆλα στὶς μηλιές,
ρόδα στὶς τ](τ)ριανταφυλλιές,
φέρνω ἀηδόνια, χελιδόνια
καὶ τὰ κρύα λιώνω χιόνια.

— Καὶ σὲ μένα τί ἔφερες;

— Δυὸ δροσάτα μαγουλάκια
καὶ δυὸ κόκκινα χειλάκια.

Κάθε βράδυ

Κάθε βράδυ ὁ ἥλιος πηγαίνει
νὰ κρυφτῆ πίσω ἀπὸ τὸ βουνό.
Βασιλεύει πέρα στὴ Δύση
καὶ σιγὰ-σιγὰ ἔρχεται ἡ νύχτα.
Τὰ πουλιὰ πετοῦν στὴ φωλιά τους.
Κουράστηκαν ὅλη τὴ μέρα.
καὶ θέλουν νὰ ἡσυχάσουν.
Τὰ παιδιὰ μαζεύονται στὸ σπίτι τους.
Σὲ λίγο ἔρχεται καὶ ὁ πατέρας.
Κάθονται ὅλοι καὶ τρῶνε.
Ἔπειτα ἀπὸ τὸ βραδινὸ φαγητό,
τὰ παιδιὰ κοιμοῦνται ἥσυχα.

Τὸ φεγγαράκι

Φεγγαράκι φωτεινό
περπατεῖ στὸν οὐρανό.
Ἀνεβαίνει στὰ ψηλὰ
καὶ μᾶς βλέπει καὶ γελᾶ.
Ἔλα κάτω, στρογγυλό
φεγγαράκι μου, καλό.
Ἔλα, μὴν ἀργῆς πολύ,
τὸ παιδὶ παρακαλεῖ.

Στὸ κτῆμα τοῦ θείου

Ὁ θεῖος μένει στὸ κτῆμα μὲ τὴ θεία
καὶ τὰ δύο παιδιά τους.
Τὸ ἀγόρι λέγεται Ρήγας.
Τὸ κορίτσι λέγεται Χρυσούλα.
Ὁ Μίμης, ἡ ῎Αννα καὶ ἡ ῎Ελλη
ξύπνησαν τὴν Κυριακὴ πολὺ πρωΐ

καὶ πῆγαν στὸ κτῆμα τοῦ θείου.
Πῆγαν μὲ τοὺς γονεῖς τους,
για νὰ καθίσουν ἐκεῖ δύο μέρες.
Ἐκεῖνοι χάρηκαν, ὅταν τοὺς εἶδαν.
Δὲν ἤξεραν τί νὰ κάνουν,
για νὰ τοὺς εὐχαριστήσουν.
Ὁ Ρήγας πῆρε τὸ Μίμη
καὶ πῆγαν νὰ δοῦν τὸ στάβλο.
Ἐκεῖ εἶδαν τὸ ἄλογο, τὸ Ντορή,
ποὺ κουνοῦσε τὴν οὐρά του.
Ὁ Μίμης πλησίασε πολὺ κοντά,
τὸ χάϊδεψε καὶ τοῦ εἶπε:
— Ντορή, ἀγαπῶ πολὺ τὰ ζῶα.
Θέλω νὰ εἴμαστε φίλοι.
Ἡ Χρυσούλα μὲ τὴν Ἄννα πῆγαν,
για νὰ ἰδοῦν τὸ κοτέτσι.

Ἐκεῖ μέσα εἶδαν πολλές κότες.
Εἶδαν κι ἕνα μεγάλο κόκορα.
Ἡ Χρυσούλα τούς ἔριξε σπόρους.
Ἡ Ἕλλη καί ἡ θεία πῆγαν
νά δοῦν τή μεγάλη ἀγελάδα
πού ἔβοσκε στό λιβάδι.
Ἡ ἀγελάδα, μόλις τίς εἶδε,
κουνοῦσε μέ χαρά τήν οὐρά της.
Τήν κουνοῦσε καί φώναζε:
«Μού...μού...», σά νά ἔλεγε:
Καλῶς ὅρισες, Ἕλλη...
Ὕστερα γύρισαν στό σπίτι.
Ἡ θεία ἔδωσε γάλα στά παιδιά
καί τούς εἶπε:
—Εἶναι φρέσκο καί καλό γάλα.
Εἶναι ἀπό τήν ἀγελάδα μας.

Ἡ ἀγελάδα

Ἡ καλή μας ἡ ἀγελάδα
τρώει κάτω στὴ λιακάδα
μικρὰ χόρτα καὶ μεγάλα
γιὰ νὰ κατεβάση γάλα.

Νὰ τὸ κάνουνε τυράκι,
νὰ τὸ κάνουν βουτυράκι,
νὰ τὸ βάλουνε στὸ πιάτο,
νὰ μοῦ ποῦν: ὁρίστε, φά' το.

Στὴν κορυφὴ τοῦ λόφου

Ξημέρωσε ἡ ἄλλη μέρα
καὶ ἀνέβαιναν πρὸς τὸ λόφο.
Ἦταν ὁ θεῖος μὲ τὰ τέσσερα παιδιά.
Τὴν Ἔλλη δὲν τὴν πῆραν μαζί τους,
γιατὶ ἦταν ἀκόμα μικρή.
Καθὼς ἀνέβαιναν στὴν πλαγιά,
εἶδαν ἕνα κοπάδι μὲ ἀρνάκια,
ποὺ ἔτρεχαν ἐδῶ κι ἐκεῖ μὲ χαρὰ
κι ἔτρωγαν δροσερὸ χορταράκι.

Λίγο πρὶν φτάσουν στὴν κορυφή,
εἶδαν καὶ μιὰ βρυσούλα.
Τὸ νερό της ἔτρεχε τραγουδώντας
καὶ ἔκανε ἕνα μικρὸ ποταμάκι.

Ὅταν ἔφτασαν στὴν κορυφή,
ὅλα τοὺς φάνηκαν ὡραῖα.
Ἀπὸ ψηλὰ εἶδαν τὴ θάλασσα
καὶ τὸν μεγάλο κάμπο.
Εἶδαν τὰ σπίτια τοῦ χωριοῦ,
ποὺ ἔμοιαζαν μὲ ἄσπρα προβατάκια.
Ὅταν γύρισαν στὸ σπίτι τους,
ἦταν πιὰ μεσημέρι.
Τὸ τραπέζι ἦταν στρωμένο.
Τὸ εἶχε ἑτοιμάσει ἡ θεία.
Ἔφαγαν μὲ πολλὴ ὄρεξη.

Ἕνα παραμύθι

Ἔφαγαν τὸ βραδινὸ φαγητὸ
κι ἔπειτα βγῆκαν ὅλοι ἔξω,
γιὰ νὰ χαροῦν τὸ φεγγάρι.
Τὰ παιδιὰ τριγύρισαν τὴ θεία,
γιὰ νὰ τοὺς πῆ παραμύθι.
Ἡ θεία τότε ἄρχισε:

«Μιὰ φορὰ κι ἕναν καιρό,
ὁ κόκορας κι ὁ σκύλος ἦταν φίλοι,
ἦταν πολὺ καλοὶ φίλοι.
Τὰ δύο ζῶα ἀποφάσισαν κάποτε
νὰ κάνουν ἕνα μεγάλο ταξίδι,
γιὰ νὰ γνωρίσουν τὸν κόσμο.
Ξεκίνησαν λοιπὸν καὶ τὰ δυὸ
κι ἔφτασαν τὸ βράδυ στὸ δάσος.

Ὁ σκύλος ρώτησε τὸν κόκορα:
— Ποῦ θὰ κοιμηθοῦμε ἀπόψε;
Ὁ κόκορας ἀπάντησε στὸ σκύλο·
—Ἐγὼ θὰ κοιμηθῶ ἐκεῖ ψηλά,
κι ἔδειξε τὰ κλαδιὰ τοῦ δέντρου.
—Ἐγὼ θὰ κοιμηθῶ στὴν κουφάλα του,
εἶπε ὁ σκύλος.

Τὰ ζῶα εὐχήθηκαν «καληνύχτα»
κι ἔπεσαν νὰ κοιμηθοῦν.
Σὲ λίγο τὰ εἶχε πάρει ὁ ὕπνος.

Πρωί-πρωί ξύπνησε ὁ κόκορας
κι ἄρχισε νὰ φωνάζη: «Κικιρίκου!»
Τὸν ἀκούει μιὰ πονηρὴ ἀλεπού
καὶ τρέχει κάτω ἀπὸ τὸ δέντρο.
— Καλημέρα, φίλε μου, λέει.
Δὲν ἔρχεσαι στὴ φωλιά μου
νὰ σὲ περιποιηθῶ λίγο;
—"Ερχομαι, λέει ὁ κόκορας.
"Ας ρωτήσω ὅμως πρῶτα τὸ φίλο μου,
ποὺ κοιμᾶται μέσα στὴν κουφάλα.
Τρέχω νὰ τὸν ξυπνήσω ἀμέσως...

Ἡ πονηρὴ ἀλεπού νόμισε
πὼς ἦταν καὶ δεύτερος κόκορας
καὶ πλησίασε στὸ δέντρο.
Ἀντὶ ὅμως νὰ δῆ κόκορα,
βλέπει ξαφνικὰ τὸ σκύλο.
Τότε ἡ ἀλεπού τρόμαξε
κι ἔφυγε τρεχάτη.
"Ετσι οἱ δυὸ φίλοι ἔμειναν ἥσυχοι
κι ἐξακολούθησαν τὸ ταξίδι...»

Ὁ κόκορας

Ἕνας κόκορας ὁλάσπρος
μὲ ψηλὸ λειρί
καμαρώνει καὶ φουσκώνει
καὶ λιλιὰ φορεῖ
καὶ θαρεῖ πὼς τὸ κοτέτσι
μόλις τὸν χωρεῖ.

Ἅμα βρῆ κανένα σπόρο
μέσα στὴν αὐλή,
τὸ κεφάλι του σηκώνει
καὶ τὸ διαλαλεῖ,
νὰ τὸ μάθουνε σὲ Δύση
καὶ σ᾽ Ἀνατολή.

Ἡ κολοκυθιὰ

Ἡ ᾿Άννα ρώτησε τὰ παιδιά:
— Παιδιά, παίζομε τὴν «κολοκυθιά»;
— Μπράβο, ᾿Άννα, εἴπαμε ὅλοι.
Ἐσὺ «μάνα» τοῦ παιγνιδιοῦ.
Καθίσαμε ὅλοι γύρω-γύρω
καὶ πήραμε τὸν ἀριθμό μας.

Τὸ 1 τὸ πῆρε ἡ Ἄννα.
Τὸ 2 τὸ πῆρε ἡ Χρυσούλα.
Τὸ 3 τὸ πῆρε ὁ Μίμης.
Τὸ 4 τὸ πῆρε ἡ Ἕλλη.
Τὸ 5 τὸ πῆρε ὁ Ρήγας.

Ὕστερα ρώτησε ἡ Ἄννα:
— Ποιὰ τιμωρία θὰ βάλωμε
  σ᾽ ἐκεῖνον ποὺ θὰ χάση;
  Ἐγὼ νὰ εἰπῶ, ἀπάντησε ἡ Χρυσούλα:
  Ἂν εἶναι κορίτσι, νὰ τραγουδήση.
  Ἂν εἶναι ἀγόρι, νὰ κάνη τὸν πετεινό.
  Ἡ Ἄννα ἀρχίζει τὸ παιγνίδι.
«Στοῦ παπποῦ τὸ περιβόλι,
  ποὺ τὸ ἀγαποῦμε ὅλοι,
  εἶναι μιὰ κολοκυθιά,

πλάϊ-πλάϊ στή ροδιά.
Κάνει πέντε κολοκύθια
στρογγυλά, μά τήν άλήθεια.
Θά τά δώση ὁ παππούς
μπονaμά τῆς άλεπούς.
Δυό νά δέση στήν οὐρά της
κι ὅλα τ' ἄλλα στά παιδιά της».

Ἔπειτα ἡ Ἄννα ρωτᾶ:
— Ποιός θά πάη στήν άλεπού;
Ποιός θά τῆς πάη τά κολοκύθια;
— Νά πάη τό 3, εἶπε ἡ Χρυσούλα.
— Γιατί τό 3; ρώτησε ὁ Μίμης.
— Ποιός νά πάη; ξαναρώτησε ἡ Χρυσούλα.
— Νά πάη τό 5, εἶπε ὁ Μίμης.
— Γιατί τό 5; ρώτησε ὁ Ρήγας.

— Ποιός θέλεις νὰ πάη;
— Νὰ πάη τὸ 2.

—"Α, ὄχι, ὄχι τὸ 2, εἶπε ἡ Χρυσούλα.
— Χά, χά! ἔχασες, Χρυσούλα, ἔχασες!
  φωνάζαμε ὅλοι μὲ γέλια.
— Τραγούδησέ μας τώρα,
  λέει ἡ "Αννα.

"Ορθια ἡ Χρυσούλα λέει:

«Στοῦ χαμένου τὴν αὐλὴ
 ἄσπρος κόκορας λαλεῖ.
 Καὶ τοῦ πῆρα τὴ λαλιά,
 νὰ τραγουδήσω τὴ μηλιά».
 Παίρνει κατόπι τὸ ἄσπρο μαντιλάκι,
 τὸ κουνᾶ στὸν ἀέρα καὶ τραγουδᾶ:

— Μηλίτσα πού 'σαι στὸ γκρεμό
μὲ μῆλα φορτωμένη,
τὰ μῆλα σου λιμπίζομαι
καὶ τὸν γκρεμὸ φοβοῦμαι.
— Σὰν τὸν φοβᾶσαι τὸν γκρεμό,
ἔλ' ἀπ' τὸ μονοπάτι.
Νὰ σοῦ χαρίσω τὰ γλυκὰ
καὶ μυρωδάτα μῆλα.

—Ὡραῖα, ὡραῖα, φωνάξαμε ὅλοι,
χτυπώντας παλαμάκια.

Φεύγουν ἀπὸ τὸ κτῆμα

᾽Έμειναν δύο μέρες στὸ κτῆμα
κι εὐχαριστήθηκαν πάρα πολύ.
῞Οταν ἦρθε ἡ ὥρα νὰ φύγουν,
ὅλοι ἦταν στενοχωρημένοι.
— Καθίστε, καθίστε καὶ σήμερα,
ἔλεγαν ὁ θεῖος μὲ τή·θεία.

— Καθίστε, θεῖοι, καθίστε, παιδιά,
ἔλεγαν ὁ Ρήγας κι ἡ Χρυσούλα.
— Πρέπει νὰ φεύγωμε, παιδιά,
εἶπε ὁ πατέρας τοῦ Μίμη.
Τὰ παιδιὰ ἔχουν ἀκόμα σχολεῖο...

Ἡ θεία τοὺς ἔδωσε ἕνα καλάθι,
πού εἶχε δῶρα, ἀπὸ τὸ περιβόλι.
Τὰ παιδιὰ χαιρέτησαν τὴ θεία,
εἶπαν «εὐχαριστῶ» σὲ ὅλους
καὶ ξεκίνησαν νὰ φύγουν.
Ὁ θεῖος μὲ τὰ παιδιά του
θὰ τοὺς συνόδευαν στὸ σταθμό.

Στὸ σταθμὸ

'Εβάδιζαν γιὰ τὸ σταθμό.
Σὲ ὅλο τὸ δρόμο μιλοῦσαν.
'Η "Αννα καὶ ὁ Μίμης ἔλεγαν:
— Παιδιά, νὰ ἔρθετε κι ἐσεῖς σπίτι μα
Θὰ εὐχαριστηθοῦμε ἂν ἔρθετε...

'Ο Ρήγας καὶ ἡ Χρυσούλα ἀπάντησαν
— Εὐχαριστοῦμε, εὐχαριστοῦμε.
Θὰ ἔρθωμε χωρὶς ἄλλο,
ὅταν τελειώση τὸ σχολεῖο.

Ὅταν ἔφτασαν στὸ σταθμό,
δὲν περίμεναν πολλὴν ὥρα.
Σὲ λίγο ἔφτασε τὸ τραῖνο.
Τὰ παιδιὰ μὲ τοὺς γονεῖς τους ἀνέβηκαν
γρήγορα γρήγορα στὸ τραῖνο
καὶ βγῆκαν στὰ παραθυράκια.
—Καλό σας ταξίδι, εἶπε ὁ θεῖος.
Νὰ μᾶς ἔρθετε καὶ πάλι...
—Εὐχαριστοῦμε, εὐχαριστοῦμε πολύ.
Ἔχετε γειά. Εὐχαριστοῦμε,
ἔλεγαν ὁ πατέρας μὲ τὰ παιδιά.

Οἱ ἐξετάσεις

Πέρασε ἕνας χρόνος.
Τήν Κυριακή εἶναι οἱ ἐξετάσεις.
Ὅλα τά παιδιά ἑτοιμάζονται.
Ἄλλα θά ποῦν ποιήματα,
καί ἄλλα θά τραγουδήσουν.

Πολλὰ παιδιὰ ἑτοιμάζουν ἔργα.
Θὰ τὰ βάλουν στὴν ἔκθεσή τους.
Ὁ Μίμης ἑτοίμασε ἕνα καράβι.
Ἡ Ἄννα ζωγράφισε
τὸ κτῆμα τοῦ θείου.

Ὅταν ἦρθε ἡ Κυριακή,
ἔγινε ἡ μεγάλη γιορτὴ
καὶ ὅλοι ἦταν χαρούμενοι.
Τὰ παιδιὰ θὰ προβιβάζονταν,
θὰ πήγαιναν στὴν παραπάνω τάξη
καὶ γι' αὐτὸ τὰ καμάρωναν ὅλοι.

ΠΕΡΙΕΧΟΜΕΝΑ

* Τὸ πρῶτον μέρος ἐλήφθη ἐκ τοῦ τυχόντος τοῦ πρώτου βραβείου Ἀλφαβηταρίου τοῦ κ. Ι. Κ. ΓΙΑΝΝΕΛΗ.

---

* Τὸ δεύτερον μέρος ἐλήφθη ἐκ τοῦ τυχόντος ἐπίσης τοῦ πρώτου βραβείου 'Αλφαβηταρίου τοῦ κ. Γ. Κ. ΣΑΚΚΑ, πλὴν τῶν ὑπ' ἀριθ. 16, 17, 26, 29 καὶ 35 κεφαλαίων, ἅτινα ἐλήφθησαν ἐκ τοῦ τυχόντος τοῦ δευτέρου βραβείου 'Αλφαβηταρίου τοῦ κ. Ι. ΣΥΚΩΚΗ.

ΕΙΚΟΝΟΓΡΑΦΗΣΙΣ
ΚΩΣΤΑ Π. ΓΡΑΜΜΑΤΟΠΟΥΛΟΥ

Οι εκδόσεις «ΚΑΛΟΚΑΘΗ»
τύπωσαν αυτό το βιβλίο
για να θυμήσουν στους παλιούς
τα πρώτα σχολικά χρόνια
και να τα διηγούνται στους νέους.

Εκδόσεις «ΚΑΛΟΚΑΘΗ»
Καλλιδρόμου 19
121 32 Περιστέρι, Αθήνα
Τηλ.: 5777.167, 5777.197, Fax: 5777.110